APPRENTIS LECTEURS

LA LEÇON DE SKI

Melanie Davis Jones
Illustrations de Terry Boles

Texte français de Claudine Azoulay

Éditions
SCHOLASTIC

À Jeff, Carol, Kris, Rachel, Abby, Sam, Nikki et tous nos amis rencontrés au Colorado
— M.D.J.

À Jean, Liz et Jen
— T.B.

Catalogage avant publication de la
Bibliothèque nationale du Canada

Jones, Melanie Davis
La leçon de ski / Melanie Davis Jones;
illustrations de Terry Boles;
texte français de Claudine Azoulay.

(Apprentis lecteurs)

Traduction de : I Can Ski!
Pour enfants de 3 à 6 ans.
ISBN 0-439-96263-3

I. Boles, Terry II. Azoulay, Claudine
III. Titre. IV. Collection.

PZ23.J646Le 2004 j813'.6 C2004-902793-X

Édition publiée par les Éditions Scholastic, 175 Hillmount Road, Markham (Ontario) L6C 1Z7.

5 4 3 2 1 Imprimé au Canada 04 05 06 07

Je vais à ma leçon de ski.

Je mets mes chaussures de ski.

Je chausse mes skis.

Je porte des vêtements chauds
car il fait froid là-haut.

Le moniteur me dit :
— Descends lentement.

Je descends lentement,
très lentement.

Puis je remonte,
encore plus lentement…

et je redescends.

Je tombe évidemment.

Je remonte aussitôt,
jusqu'en haut…

et je
redescends.

J'apprends à m'arrêter,
doucement.

Je descends la piste.
Regardez, les amis!

Je descends la piste.

LISTE DE MOTS

à
amis
apprends
arrêter
aussitôt
car
chauds
chausse
chaussures
de
des
descends
dit
doucement
du
encore
et
évidemment
faire
fait
froid
haut
il
je
jusqu'en
la
là-haut
le
leçon
lentement
les
ma
me
mes
mets
moniteur
piste
plus
porte
puis
redescends
regardez
remonte
sais
ski
skis
tombe
très
vais
vêtements

Je sais faire du ski!